Coloreo y pego
Álbum
para niños

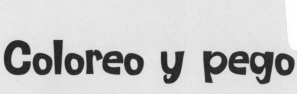

Ilustraciones de Cecilia Johansson, Dan Crisp,
Annalisa Sanmartino y Giulia Torelli

La granja

Colorea todos los animales y demás cosas que veas
en esta parte del libro y completa las escenas
con las pegatinas que hay al final.

El camino de la granja

los árboles

el granero

el tractor

el remolque

el pájaro

la portilla

4

las mariposas

las flores

5

El corral de las gallinas

el gallinero

los pollitos

las gallinas

los huevo

el sol

la niña

las gallinas

la lombriz

7

El prado

la vaca

el ternero

el perro pastor

la oveja

el toro

el topo

el cordero

8

el pájaro

la vaca

el burro

el conejo

la cabra

el caballo

el potro

9

El manzanar

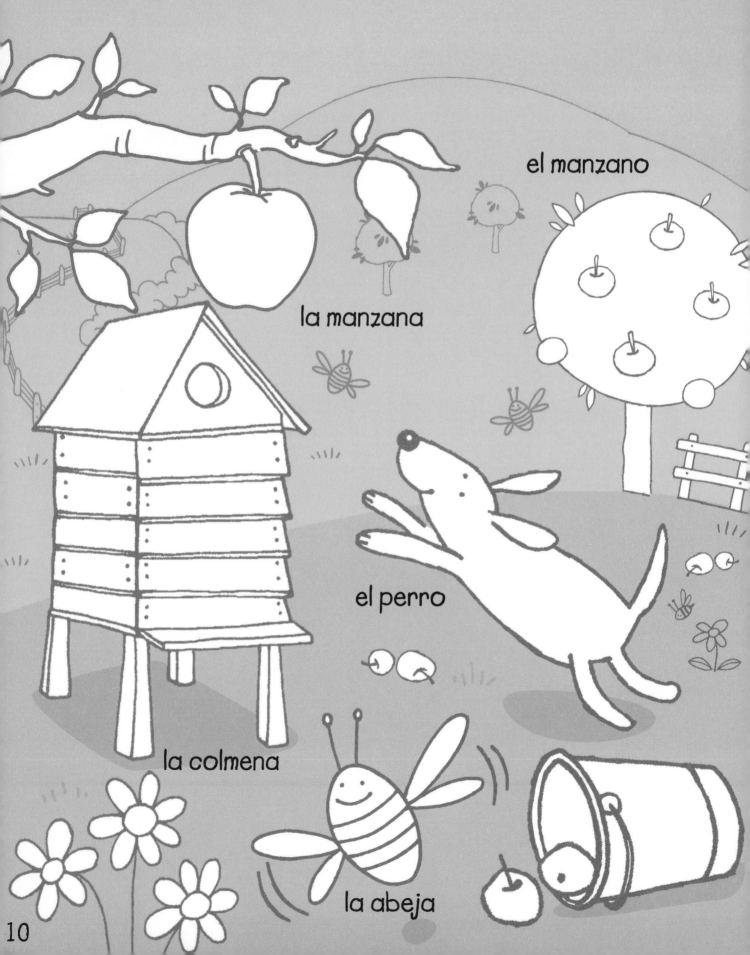

el manzano

la manzana

la colmena

el perro

la abeja

El huerto

el gato

la portilla

el muro

la carretilla

las coles

los conejos

las zanahorias

El estanque

los patos

el patito

la rana

el pato

la libélula

los peces

el nenúfar

las flores

la oca

el caracol

13

La cosecha

los cuervos

el espantapájaros

el tractor

el ratón

Por la noche

la estrella

la luna

el búho

las vacas

el árbol

el zorro

16

el granero

el gato

el murciélago

el tractor

Los castillos

Coloca las pegatinas que encontrarás al final
del libro para llenar de vida estas escenas
típicas de un castillo medieval.

19

El castillo

En el castillo de Albapedra, vive el rey Sancho con sus caballeros. Completa la escena con la figura del rey a caballo, damas y caballeros.

Este soldado monta guardia
y vigila por si ataca el enemigo.

El foso

Cuando hay peligro,
se alza el puente levadizo.

21

¡Que no pasen!

Un ejército enemigo está atacando el castillo donde estás. ¡Pega el rastrillo enseguida para impedir que entren más soldados!

Coloca en esta escalera dos caballeros que luchan a espada.

Coloca a tus arqueros
en las almenas.

23

El patio de armas

El patio de armas está en el centro del castillo y siempre está muy concurrido. Añade muchas personas y animales para completar la escena.

Encuentra otro caballo para este establo.

La gente acude al pozo a sacar agua.

El campo de batalla

Tu ejército se enfrenta al enemigo en campo abierto para impedir que se acerque al castillo. Completa la escena con caballeros, arqueros y soldados de infantería.

Este caballero necesita refuerzos
para defender el castillo.

¡Al ataque!

Ayuda a los caballeros a lanzar un ataque sobre este castillo enemigo. Necesitan una torre de asedio y un ariete.

Los caballeros han colocado piedras
y tablones de madera para poder cruzar el foso.

El gran banquete

De regreso en el castillo, el rey ha decidido
celebrar la victoria con un gran banquete.
Coloca a los invitados en las mesas
y sírveles una opípara comida.

El torneo

Hoy es un día de diversión. Se celebra un torneo.

Dos caballeros van a enfrentarse en una justa.

El que logre desmontar primero al oponente ganará.

Colócalos en el momento en que se lanzan a la carga.

Un heraldo anuncia a cada uno
de los caballeros antes de la justa.

Excavadoras y camiones

Colorea esta parte del libro repleta de distintos tipos de excavadoras y camiones. Al final del libro también encontrarás pegatinas que añadir a las escenas.

El camión portacoches

La recogida de la basura

una barredora

un camión de basura

39

El camión de bomberos

Varias excavadoras

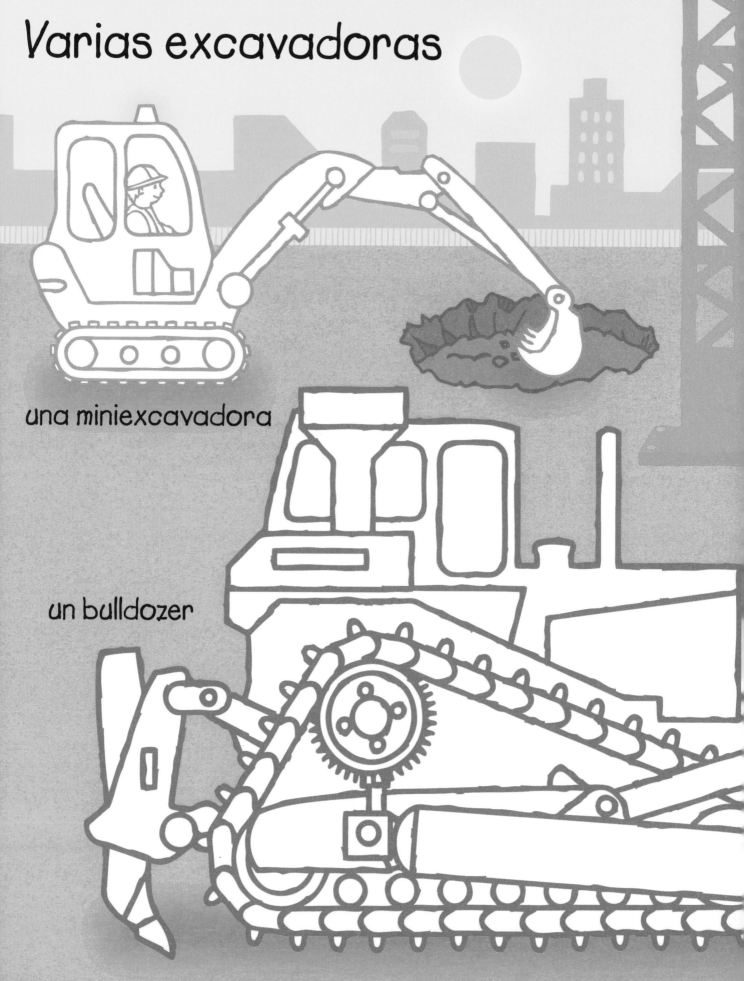

una miniexcavadora

un bulldozer

una excavadora

43

Varios camiones

un camión de reparto

una furgoneta

un portacontenedores

un volquete

una grúa

En la obra

una excavadora

un volquete

un camión hormigonera

En la granja

Leche

un camión cisterna

un tractor

un camión
de reparto

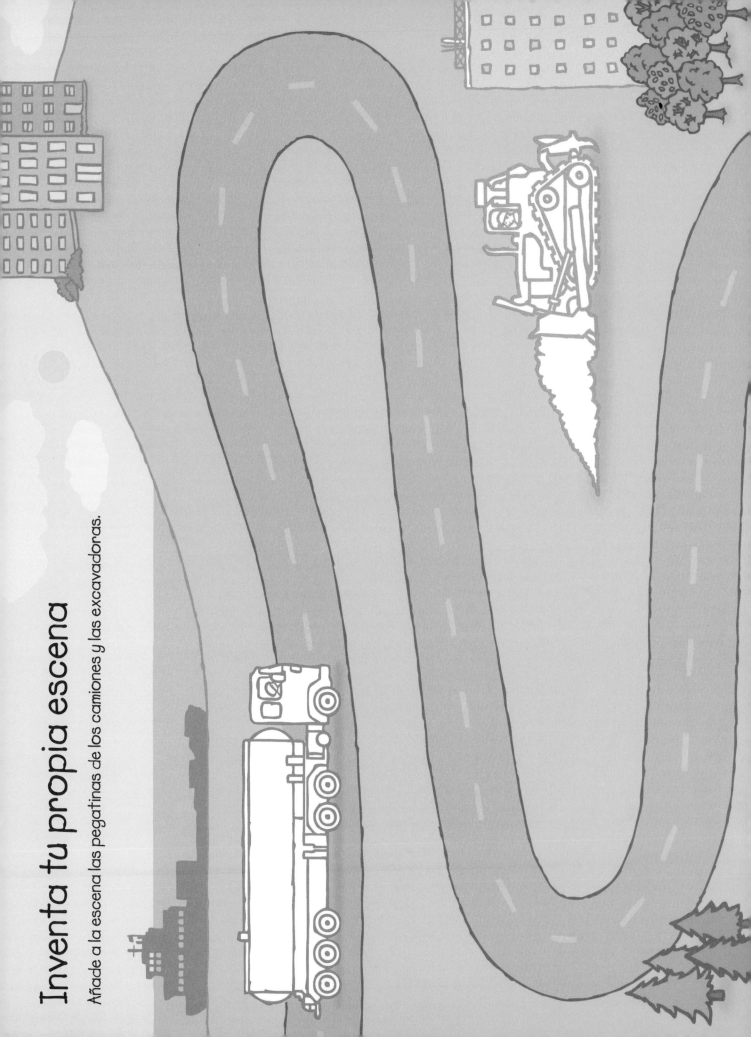

Inventa tu propia escena

Añade a la escena las pegatinas de los camiones y las excavadoras.